EL NIÑO Y LA BESTIA

Texto: Marcus Sauermann   Ilustraciones: Uwe Heidschötter

EL
NIÑO
Y LA
BESTIA

Muchas cosas cambian cuando tu mamá se convierte en una bestia.

Entonces, casi todo lo tienes que hacer tú mismo,
como si ella no estuviera.

Sin embargo, no siempre es malo
que mamá sea una bestia, ya que no está
continuamente diciéndote que no.

Claro que alguna vez las bestias también te hacen pasar un mal rato,
pues siempre están de mal humor, motivo por el que la gente
no quiere tener nada que ver con ellas.

El peor momento es cuando anochece.
En esos instantes, las bestias están tan malhumoradas que incluso
rompen antiguas fotos en las que están alegres y sonrientes.

De manera que hay que tomárselo con calma y consolarlas.

A veces, se meten en tu cama por la noche,
y eso sí que es agradable.

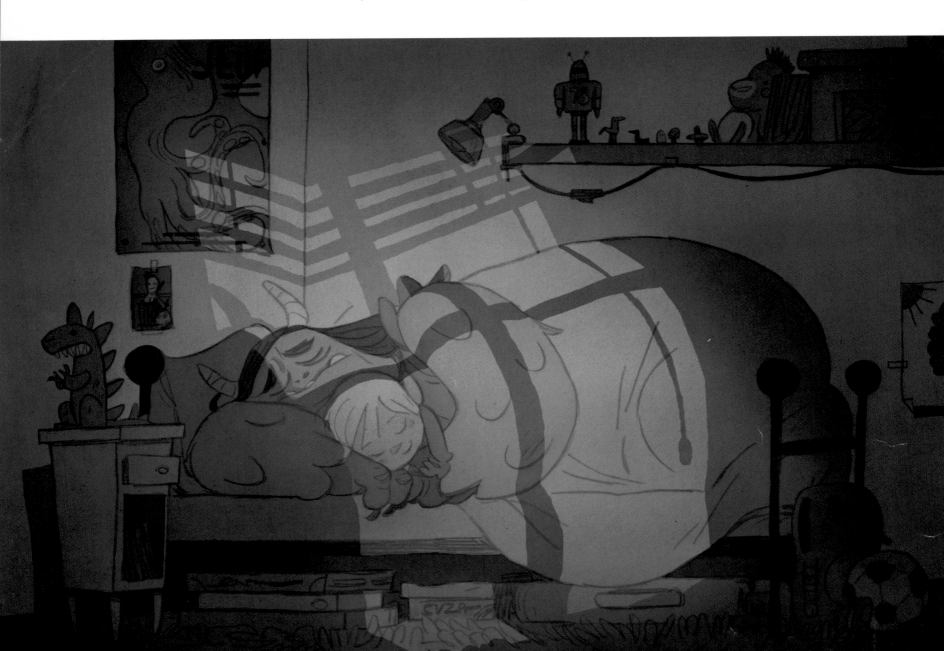

Excepto cuando empiezan a roncar,
en cuyo caso ya no te hace tanta gracia.

Es muy fácil ganarle al fútbol a una bestia;

incluso a veces es *demasiado* fácil.

Pero lo peor es cuando una bestia se encuentra con otra,
ya que ambas se comportan como verdaderas bestias
y olvidan por completo que una vez se quisieron.

Entonces hay que tranquilizarlas
y decirles que todo va bien.

Aunque no sea cierto.

Nadie sabe cuánto tiempo puede durar esta pataleta.

Necesita tiempo, paciencia,
muchos bonitos días de verano
y encontrarse con una vieja amiga
a quien mamá ya no veía
desde hace muchísimo…

…, además de cien horas de conversaciones telefónicas, y después, por fin, irá contigo al cine y te leerá muchas historias graciosas al acostarte por la noche y esperará mil horas delante del mostrador de la tienda…

...y llegará un momento, cuando ya te hayas acostumbrado a la bestia,
en que ésta se transformará otra vez en tu mamá.

Y de nuevo no volverá a ser fácil.

En todo caso, y sin ninguna duda, las mamás son mejores que las bestias.
A veces incluso se enamoran otra vez y se ponen muy contentas.

Incluso tienen *demasiada* marcha.

Papá todavía necesita tiempo.

Mientras tanto, prefiero jugar a fútbol con él.

Puede consultar nuestro catálogo en www.edicionesobelisco.com

El niño y la bestia
Marcus Sauermann y Uwe Heidschötter

1.ª edición: marzo de 2013

Título original: *Der Kleine und das Biest*

Traducción: *Sergio Pawlowsky*
Corrección: *M.ª Ángeles Olivera*
Maquetación: *Marta Rovira Pons*

© 2012, Klett Kinderbuch, Leipzig, Alemania
www.klett-kinderbuch.de
Este libro ha sido negociado a través de
Ute Körner Lit. Ag., Barcelona, España
www.uklitag.com
© 2013, Ediciones Obelisco, S. L.
(Reservados los derechos para la presente edición)

Edita: Picarona, sello infantil de Ediciones Obelisco, S. L.
Pere IV, 78 (Edif. Pedro IV) 3.ª planta, 5.ª puerta
08005 Barcelona - España
Tel. 93 309 85 25 - Fax 93 309 85 23
E-mail: info@edicionesobelisco.com

Paracas, 59 C1275AFA Buenos Aires - Argentina
Tel. (541-14) 305 06 33 - Fax (541-14) 304 78 20

ISBN: 978-84-940745-1-6
Depósito Legal: B-28.495-2012

Printed in India